LIVELLO 2 • A1/A2
1000 parole

LA COMMISSARIA

Saro Marretta

14 crimini - quiz della commissaria Sara Corelli
e dell'agente Pippo Caraffa

Letture Italiano Facile

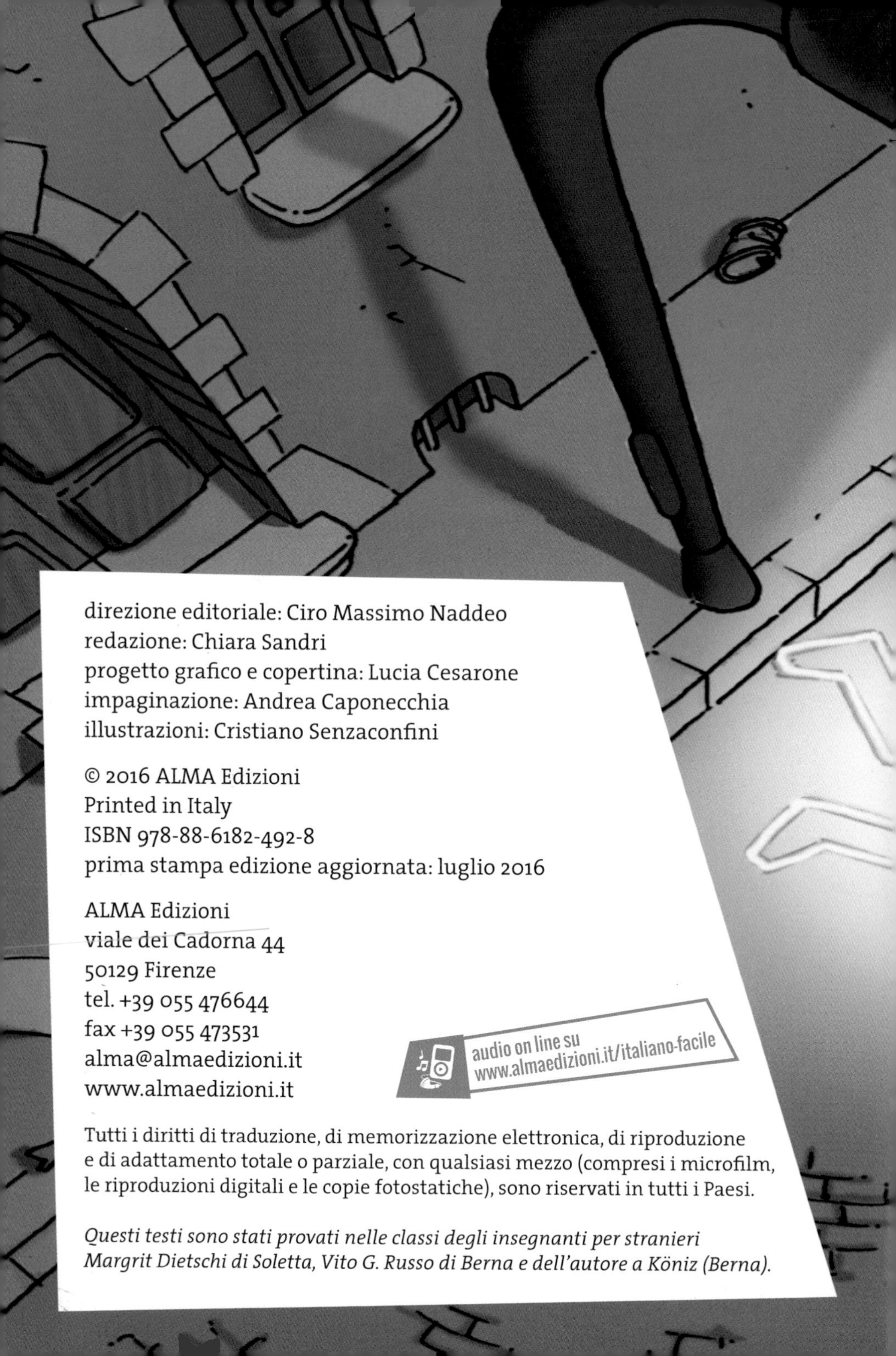

direzione editoriale: Ciro Massimo Naddeo
redazione: Chiara Sandri
progetto grafico e copertina: Lucia Cesarone
impaginazione: Andrea Caponecchia
illustrazioni: Cristiano Senzaconfini

Printed in Italy
ISBN 978-88-6182-492-8
prima stampa edizione aggiornata: luglio 2016

ALMA Edizioni
viale dei Cadorna 44
50129 Firenze
tel. +39 055 476644
fax +39 055 473531
alma@almaedizioni.it
www.almaedizioni.it

Questi testi sono stati provati nelle classi degli insegnanti per stranieri Margrit Dietschi di Soletta, Vito G. Russo di Berna e dell'autore a Köniz (Berna).

INDICE

PERSONAGGI

È una commissaria di polizia sui 32 anni. Le piacciono i vestiti eleganti, ma molto spesso deve indossare la divisa della polizia. Legge sempre l'oroscopo e colleziona medaglie con i segni dello zodiaco.

Quando parla con le persone usa la forma di cortesia del Lei.

Ogni volta che Sara Corelli trova la soluzione di un caso, riceve un regalo "speciale" da Pippo Caraffa.

▸ note

colleziona (inf. collezionare) • raccogliere una grande quantità di oggetti dello stesso genere (quadri, francobolli, ecc.) *Io colleziono francobolli.*
segni dello zodiaco • i segni dell'oroscopo *Ariete, toro, gemelli, ecc.*

Ha 33 anni ed è nella polizia da più di dieci. Sogna di comprarsi una Ferrari, ma non l'ha fatto perché - come dice lui - "non ha ancora trovato il garage giusto". Quindi fa collezione di modellini di macchine: Fiat, Alfa Romeo e naturalmente... Ferrari!

Quando parla con la gente usa spesso la forma del tu.

Ogni volta che Pippo Caraffa trova la soluzione di un caso, riceve un regalo "speciale" da Sara Corelli, a volte delle Ferrari... di plastica!

note

modellini • macchine di plastica per giocare o per fare la collezione *Mio figlio gioca con i modellini delle macchine.*

INTERVISTE

La commissaria Sara Corelli

- Come si chiama? - *Mi chiamo Sara Corelli!*
- Che cosa fa nella vita? - *Sono commissaria di polizia.*
- Ha un hobby? - *Sì: cercare i ladri con Pippo e mangiare bene!*
- Quale ricetta di cucina preferisce? - *Gli spaghetti al pesto.*
- Perché usa la forma del Lei quando parla? - *Perché sono gentile.*
- Ma con Pippo Lei usa la forma del tu. - *Forse perché gli voglio bene come ad un... collega!*
- Che cosa voleva fare da grande? - *L'attrice!*
- Qual è la cosa più bella per Lei? - *Il lavoro e... la moda femminile!*

L'agente di polizia Pippo Caraffa

- Come ti chiami? - *Mi chiamo Pippo Caraffa!*
- Che cosa fai nella vita? - *Sono il numero due della Centrale di polizia, dopo la commissaria Corelli!*
- Hai un hobby? - *Sì: faccio collezione di modellini di macchine.*
- Che tipo di macchine? - *Ferrari naturalmente, ma anche Fiat e Alfa Romeo.*
- Quale ricetta di cucina preferisci? - *La pizza Margherita!*
- Perché usi la forma del tu quando parli con le persone? - *Non sempre, ma a Villanea, dove lavoriamo, conosco quasi tutti.*
- Ma con la commissaria usi sempre la forma del Lei. - *Perché ho rispetto di lei!*
- Che cosa volevi fare da grande? - *Il maestro d'asilo, ma ho studiato poco!*
- Qual è la cosa più bella per te? - *Fare le vacanze al mare!*

▸ note

pesto • salsa per la pasta a base di basilico, tipica di Genova.
asilo • scuola per bambini molto piccoli, da 0 a 3 anni di età.

GLOSSARIO

agente: poliziotto. Persona che lavora per la polizia. *Pippo Caraffa è un agente di polizia.*

cadavere: corpo di un morto. *La polizia ha trovato il cadavere di un uomo sulla spiaggia.*

cassaforte: contenitore metallico dove si tengono soldi, oro, gioielli e cose preziose. *I gioielli sono nella cassaforte.*

caso: situazione problematica, problema da risolvere, enigma. *Questo è un caso difficile, l'assassino non ha lasciato tracce.*

Centrale: (di polizia) ufficio di polizia. *I poliziotti hanno portato il ladro in Centrale.*

collega: persona che lavora con un'altra. *Ti presento Francesco, un mio collega.*

complice: persona che aiuta qualcuno in un'azione contro la legge. *Il ladro non era solo, aveva un complice.*

delinquente: chi fa azioni contro la legge. *Gigio è un delinquente, lascialo stare.*

mitra:

omicidio: l'atto di uccidere qualcuno. *L'omicidio della donna è avvenuto alle 22.30.*

pistola:

puntare: (la pistola) mettere la pistola nella direzione per sparare. *Non puntare la pistola contro di me.*

reato: azione contro la legge. *Rubare è un reato.*

sospetto: persona che forse ha commesso un reato. *Pippo Caraffa ha arrestato un sospetto, il signor Rosi.*

sussurrare: parlare piano piano. *Sara ha sussurrato a Pippo la soluzione del caso.*

testimone: persona che ha visto qualcosa. *Il testimone dice di averti visto mentre entravi nel negozio!*

1. Il cassiere

Personaggi

Sara Corelli & Pippo Caraffa
Carlo Daltoni - un impiegato della banca "San Giuseppe"
Virgilio Lelli - altro impiegato della banca "San Giuseppe"
Tina Venturi - un'impiegata della banca "San Giuseppe"

traccia 1

1. Sara Corelli e Pippo Caraffa arrivano in bicicletta alla banca "San Giuseppe" di Villanea. Nella banca c'è il cadavere del cassiere Nino Rapetti.

Sara Corelli	Chi di voi tre ha visto il signor Rapetti?
Carlo Daltoni	Io l'ho visto ieri sera, quando abbiamo bevuto il caffè al bar Roma.
Tina Venturi	Io l'ho visto stamattina alle otto, quando abbiamo preso il cappuccino.
Virgilio Lelli	Io l'ho visto martedì scorso.
Sara Corelli	Signor Daltoni, di che cosa ha parlato Lei con il signor Rapetti?
Carlo Daltoni	Nino Rapetti ha parlato poco con me, era depresso.
Pippo Caraffa	Perché il signor Rapetti era depresso?
Carlo Daltoni	Forse perché aveva perso molti euro al Casinò.
Tina Venturi	Io so che Nino amava molto il gioco della roulette!
Pippo Caraffa	Guardi, commissaria: Nino è morto con il computer acceso!
Sara Corelli	Nessuno di voi tre ha dei sospetti?
Virgilio Lelli	Non credo... questo è un caso sicuramente difficile.
Pippo Caraffa	Vedo una cifra sul video del computer: 17737.
Sara Corelli	Che cosa vuol dire questo?

▸ note

impiegato • chi lavora in un ufficio *Leo è un impiegato di banca.*
cassiere • l'impiegato di banca che sta alla cassa *Il cassiere ha dato i soldi al cliente.*
depresso • triste *Sono depresso perché Marta mi ha lasciato.*

Carlo Daltoni	Forse è la somma di euro che il povero Rapetti ha perso al Casinò.
Sara Corelli	Lei, signor Daltoni, è sicuro di quello che dice?
Carlo Daltoni	Io no, ma forse Tina Venturi è sicura.
Tina Venturi	Sì, io sono sicura. Nino ieri notte ha perso 17737 euro al Casinò!
Sara Corelli	Signori, uno di voi tre è l'assassino, che Nino Rapetti conosceva bene!

2. Sara Corelli sussurra una frase all'orecchio di Pippo Caraffa.

Pippo Caraffa	Oh, bravissima commissaria, è vero. Come premio, ecco il mio regalo per Lei!
Sara Corelli	Pippo, cosa mi regali questa volta?
Pippo Caraffa	Dieci litri di benzina.
Sara Corelli	Perché mi regali questa benzina, Pippo?
Pippo Caraffa	Così la prossima volta lasciamo le biciclette in ufficio e partiamo con la sua vecchia Fiat Ritmo, commissaria!
Sara Corelli	Eccellente idea Pippo, grazie mille!

Chi è l'assassino secondo Sara Corelli?

Vuoi un aiuto per trovare la soluzione?

- *Scrivi il numero 7 grande con un pennarello su un foglio.*
- *Capovolgi il foglio.*
- *Ora gira il foglio e leggi da dietro:*
  quale lettera dell'alfabeto leggi? ________
- *Fa' lo stesso con la cifra che Pippo Caraffa legge sullo schermo del computer e leggi il nome dell'assassino.*

fai gli ESERCIZI
vai a pagina 49

note

sussurra (inf. sussurare) • parlare piano piano all'orecchio di qualcuno senza farsi sentire dagli altri.

benzina • liquido che si usa per far camminare le macchine *La macchina non cammina perché è finita la benzina.*

2. La signora Elena

Personaggi
Sara Corelli & Pippo Caraffa
Biagio Randi - marito di Elena Randi
Lucio Dini - portiere all'hotel "Sabbia d'oro" di Villanea

traccia 2

1. Sara Corelli e Pippo Caraffa arrivano alle ore tre di mattina all'hotel "Sabbia d'oro" di Villanea. La signora Elena Randi, moglie di Biagio Randi, è sulla spiaggia, morta.

Lucio Dini	*(A bassa voce)* Attento, Biagio, stanno arrivando i due stupidi Sara e Pippo!
Biagio Randi	Buongiorno signori e benvenuti!
Sara Corelli	Buongiorno! Che cosa è successo alla signora Randi?
Lucio Dini	La signora è morta e l'assassino è già in vacanza!
Pippo Caraffa	Povera signora Randi, è ancora molto bella!
Sara Corelli	Signor Randi, Lei è il marito della signora... sa cosa è successo?
Biagio Randi	Elena è uscita a mezzanotte per fare il bagno ed è morta!
Sara Corelli	Signor Dini, Lei che è il portiere, conosceva la signora Elena?

▸ note

portiere • guardiano, persona che controlla chi entra ed esce *Chiediamo al portiere se il signor Bianchi abita qui.*

fare il bagno • entrare nell'acqua *Oggi il mare è calmo. Vieni, facciamo un bagno!*

Lucio Dini	Certo, la signora è andata in spiaggia a mezzanotte!
Sara Corelli	La signora ha fatto il bagno nell'acqua fredda?
Biagio Randi	Elena non ha mai avuto paura del freddo!
Sara Corelli	Lei ci può dire solo questo?
Biagio Randi	Perché, non basta?
Sara Corelli	Pippo, che cosa c'è vicino alla borsetta della signora?
Pippo Caraffa	Una crema solare.
Sara Corelli	Signor Randi, sua moglie usava creme *Armani*?
Biagio Randi	Elena usava sempre creme di prima qualità!
Pippo Caraffa	Un marito... che conosceva le abitudini della moglie!
Biagio Randi	Elena usava creme *Valentino* per uscire e creme *Armani* per prendere il sole...
Pippo Caraffa	... una crema per ogni occasione!
Biagio Randi	Ed è morta così giovane e bella. Povera donna!
Pippo Caraffa	Signori, sono sicuro che voi due avete detto la verità!
Biagio Randi	Dici sul serio, Pippo? Possiamo allora ritornare a casa?
Pippo Caraffa	Sì, ma dopo che mi avete spiegato un piccolo dettaglio.

2. Pippo Caraffa sussurra una frase all'orecchio di Sara Corelli.

Sara Corelli	Oh, bravissimo Pippo, è vero! Come premio ecco il mio regalo: un profumo speciale tutto per te!

note

spiaggia • zona di sabbia davanti al mare *Mi piace molto andare in spiaggia a prendere il sole!*

Pippo Caraffa Oh, grazie! Che profumo è commissaria?
Sara Corelli Un profumo che devi usare anche in ufficio, Pippo! Vuoi anche un sapone?
Pippo Caraffa Eccellente, commissaria, grazie mille!

Qual è il dettaglio che cerca Pippo Caraffa?

Vuoi un aiuto per trovare la soluzione?

a. Collega le domande su Elena Randi alle risposte.

1. Che creme usava per uscire la sera?	a. Di notte.
2. Quando faceva il bagno?	b. Valentino.
3. Che creme usava per abbronzarsi?	c. Suo marito.
4. Chi conosceva le sue abitudini?	d. Armani.
5. Chi l'ha vista uscire?	e. Il portiere.

b. C'è qualcosa di strano: quando si usa la crema solare?

fai gli ESERCIZI
vai a pagina 50

3. Il volo dalla terrazza

Personaggi

Sara Corelli & Pippo Caraffa
Ursula Piani - moglie di Giuseppe Piani
Angelo Patanè - un amico della famiglia Piani

traccia 3

1. Oggi il vento è forte a Villanea. Giuseppe Piani è volato dalla terrazza del quarto piano della sua casa di campagna. Sara Corelli e Pippo Caraffa parlano con la moglie Ursula Piani e con il signor Angelo Patanè.

Sara Corelli	Signora Piani, ci può raccontare cosa è successo?
Ursula Piani	Subito! Giuseppe ha letto il giornale di oggi, lo ha messo sulla sedia e poi ha fatto dei salti sulla terrazza per restare in forma.
Angelo Patanè	Il povero Giuseppe forse ha fatto un salto un po' troppo lungo ed è caduto dal quarto piano!
Sara Corelli	Signora Piani, ci può dire se Suo marito era ammalato?
Ursula Piani	Sì, Giuseppe era ammalato da molto tempo!
Angelo Patanè	Giuseppe era molto depresso!
Pippo Caraffa	Il poverino è caduto sulla prima pagina del giornale di oggi dove c'è scritto "omicidio!"
Ursula Piani	Omicidio? Che brutta parola!

note

terrazza

salti

Sara Corelli A che ora è successa questa disgrazia?

Angelo Patanè Alle ore nove.

Pippo Caraffa Alle nove? Come fai a sapere l'ora?

Angelo Patanè Sono arrivato alle nove e tre minuti e ho trovato Giuseppe già morto!

Sara Corelli Lei, signora Piani, non stava a casa questa mattina?

Ursula Piani No, perché io questa mattina lavoravo.

Pippo Caraffa Dove lavora?

Ursula Piani Sono cameriera al bar "Roma" di Villanea.

Sara Corelli Ci sono dei testimoni in questa tragedia?

Ursula Piani No, perché in questa casa noi viviamo soli, commissaria.

Sara Corelli Forse Suo marito ha lasciato una lettera?

Angelo Patanè Non credo, Giuseppe non ha mai amato scrivere.

Pippo Caraffa Ursula ed Angelo, qualcosa mi dice che voi due non avete detto la verità!

2. Pippo Caraffa sussurra una frase all'orecchio di Sara Corelli.

Sara Corelli Oh, bravissimo Pippo, è vero. Come premio ecco il mio regalo per te!

Pippo Caraffa Che cosa mi regala questa volta, commissaria?

Sara Corelli Una sveglia con una buona suoneria!

Pippo Caraffa Perché mi regala una sveglia?

Sara Corelli Così la mattina non arriverai più in ritardo.

Pippo Caraffa Eccellente idea, commissaria! Grazie mille.

▸ note

disgrazia • fatto tragico successo per caso, senza la responsabilità di qualcuno *La morte di Giuseppe è stata una disgrazia.*

sveglia

Che cosa ha scoperto Pippo Caraffa?

Vuoi un aiuto per trovare la soluzione?

a. Collega le domande su Giuseppe Piani alle risposte.

1. Cosa ha fatto per restare in forma?
2. Era ammalato?
3. Dov'è caduto?
4. Dove aveva messo il giornale?
5. Da quale piano è caduto?

a. Sulla pagina del suo giornale.
b. Sulla sedia.
c. Dei salti sulla terrazza.
d. Dal quarto.
e. Sì, era depresso.

b. Dove sta Giuseppe Piani dopo il "volo" dal quarto piano?
Sul ____________ che lui stesso aveva ____________ sulla sedia.

4. Il Rigoletto

Personaggi
Sara Corelli & Pippo Caraffa
Ugo Alagna - tenore lirico
Regula Stolli - soprano

traccia 4

recording studio

1. Sara Corelli e Pippo Caraffa sono nello studio di registrazione del teatro lirico Ariston di Villanea. Sul pavimento c'è il corpo del famoso tenore Massimo Cipilli.

Ugo Alagna Massimo è morto durante il temporale!
Sara Corelli Lei sa a che ora?
Ugo Alagna Oggi alle cinque.
Sara Corelli Dove stava il signor Cipilli quando è morto?
Ugo Alagna Nello studio di registrazione, stava registrando *"La donna è mobile"*!
Regula Stolli Tu conosci quest'aria, Pippo?
Pippo Caraffa Forse è di Giuseppe Verdi ...
Regula Stolli Bravo, Pippo, sai veramente molto sulla musica!
Pippo Caraffa Io invece non so ancora una cosa!
Regula Stolli Cosa non sai, Pippo?
Pippo Caraffa Io non so come è morto il tenore Cipilli.
Regula Stolli Semplice! Mentre Cipilli registrava la sua voce, un fulmine ha colpito l'impianto elettrico del teatro...

▸ note

temporale • pioggia molto forte *Oggi resto a casa, con questo temporale non posso uscire!*

aria • canzone, parte cantata in un'opera lirica *Il tenore ha cantato un'aria di Rossini.*

fulmine

impianto elettrico • sistema per l'elettricità *L'impianto elettrico di questa casa è nuovo. Le luci funzionano benissimo.*

Ugo Alagna ... e lo ha fulminato!
Sara Corelli Possiamo ascoltare la registrazione?
Ugo Alagna Subito, signori! (*Ugo accende il registratore*)
Regula Stolli Sentite che bella voce!
Ugo Alagna Peccato che la mia voce non sarà mai così bella!

2. Mentre la commissaria e Pippo Caraffa ascoltano la registrazione, all'improvviso si sente il rumore di un tuono molto forte. Poi un grande silenzio.

Regula Stolli Ecco, in questo momento il fulmine ha colpito l'impianto elettrico...
Ugo Alagna ... e ha ucciso il caro Cipilli!
Sara Corelli Signori, siete sicuri di quello che dite?

3. Sara Corelli sussurra una frase all'orecchio di Pippo Caraffa.

Pippo Caraffa Bravissima commissaria, è vero! Come premio ecco il mio regalo per Lei.
Sara Corelli Che cosa mi regali questa volta, Pippo?
Pippo Caraffa Un CD con il *"Rigoletto"* di Giuseppe Verdi. Mi spiegherà poi in ufficio il significato di quest'opera.
Sara Corelli Però dopo il lavoro, Pippo, grazie mille!

Che cosa ha scoperto Sara Corelli?

note ◂

ha fulminato

tuono • rumore del fulmine *Con questi tuoni non riesco a dormire: ho paura!*

Vuoi un aiuto per trovare la soluzione?

a. Seguendo il testo, rimetti nel giusto ordine gli eventi che hanno portato alla morte del tenore.

1. Massimo Cipilli muore.
2. Si sente un tuono.
3. Massimo Cipilli canta per registrare *"La donna è mobile"*.
4. Un fulmine colpisce l'impianto elettrico.

b. C'è qualcosa di strano: quando c'è un temporale cosa viene prima, il fulmine o il tuono? il fulmine

fai gli ESERCIZI
vai a pagina 52

5. La bottiglia di whisky

Personaggi
Sara Corelli & Pippo Caraffa
Guido Bronte - cameriere del bar "Stazione"
Silvia Dolfi - cameriera del bar "Stazione"

traccia 5

1. Il signor Guido Bronte, cameriere del Bar "Stazione", entra di corsa alla Centrale di polizia.

Guido Bronte	Venite, è morto un uomo al bar "Stazione"!
Pippo Caraffa	Arriviamo subito, ma non toccate niente!
Guido Bronte	Sì ma venite con la macchina, non in bicicletta!
Sara Corelli	Chi è il morto?
Guido Bronte	È Filippo Fiore. Il delinquente che già conoscete.
Sara Corelli	Se è morto, non lo possiamo più salvare!
Pippo Caraffa	Allora è uguale a che ora arriviamo, commissaria?
Sara Corelli	Andiamo subito, Pippo!
Pippo Caraffa	Andiamo col tandem, commissaria. Guida Lei?
Sara Corelli	No, Pippo! Se guido io, tu fai pedalare solo me!

2. Sara Corelli e Pippo Caraffa arrivano in tandem al bar "Stazione" di Villanea e trovano il cadavere di Filippo Fiore sul pavimento.

Pippo Caraffa	Oh, che buon odore di whisky in questo bar!

note ◂

tandem • bicicletta a due posti *Ho fatto una passeggiata in tandem con Marina.*
pedalare • l'azione dei piedi quando si va in bicicletta *Pedalare in salita è faticoso!*

Sara Corelli — Signor Bronte, che cosa è successo?

Guido Bronte — Filippo Fiore mi ha ordinato un whisky...

Pippo Caraffa — Che marca di whisky ti ha ordinato?

Guido Bronte — Un whisky marca *Napoleone I*, il migliore! Mentre versavo il whisky nel bicchiere, lui mi ha puntato la pistola al petto!

Silvia Dolfi — Così Guido gli ha rotto la bottiglia in testa ed eccolo là morto!

Pippo Caraffa — La bottiglia si è rotta veramente... ha ancora il tappo dentro...

Silvia Dolfi — Abbiamo avuto una paura terribile!

Guido Bronte — Povero Filippo, aveva la testa delicata ed è morto subito!

3. Sara Corelli controlla il pavimento del bar: c'è il cadavere di Filippo Fiore, con la pistola vicina alla mano destra. C'è molto sangue sul pavimento. Pippo Caraffa sussurra una frase all'orecchio di Sara Corelli.

Sara Corelli — Oh, bravissimo Pippo, è vero! Come premio ecco il mio regalo per te.

Pippo Caraffa — Che cosa mi regala questa volta?

Sara Corelli — Ma è chiaro, Pippo, una bella macchina!

Pippo Caraffa — Una macchina? Di che marca?

Sara Corelli — Un'Alfa Romeo... tutta per te!

Pippo Caraffa — Tutta per me? Ma è formidabile!

Sara Corelli — Sì, Pippo, un'Alfa Romeo... di plastica per la tua collezione!

Pippo Caraffa — Eccellente, commissaria! Grazie mille.

tappo

Che cosa ha scoperto Pippo Caraffa?

Vuoi un aiuto per trovare la soluzione?

a. Completa le frasi aiutandoti con il testo.

1. Filippo Fiore *a) ha ordinato / b) ha regalato* un whisky.
2. Guido Bronte *a) ha versato / b) non ha versato* il liquore.
3. Filippo Fiore ha puntato la pistola *a) al petto / b) alla testa* di Guido.
4. Guido ha rotto la bottiglia *a) sul tavolo / b) sulla testa di Filippo.*
5. Pippo Caraffa ha trovato la bottiglia *a) rotta / b) intera.*
6. La bottiglia che ha trovato Pippo Caraffa ha il tappo *a) dentro / b) fuori.*

b. Cosa c'è di strano? ______________________________

fai gli ESERCIZI
vai a pagina 53

6. Il revolver

Personaggi

Sara Corelli & Pippo Caraffa
Fina Pezzi - segretaria della fabbrica d'armi "Tolpez"
Toni Ferrini - impiegato della fabbrica d'armi "Tolpez"

traccia 6

1. Sara Corelli e Pippo Caraffa arrivano in bicicletta in via Trilussa numero 12 di Villanea. Al terzo piano hanno ucciso un uomo.

Toni Ferrini	Buongiorno signori, questa volta siete arrivati subito!
Fina Pezzi	Complimenti! Ci avete messo solo un'ora di tempo!
Toni Ferrini	Gli assassini vi amano per questo!
Sara Corelli	Che cosa è successo?
Toni Ferrini	Un uomo ha ucciso Tullio Raffi, il padrone della fabbrica d'armi "Tolpez"!
Sara Corelli	Lei ha visto l'assassino?
Toni Ferrini	Io l'ho visto sulla strada con il revolver in mano!
Sara Corelli	E Lei, signora Pezzi?
Fina Pezzi	Io l'ho visto da vicino, con un mitra!
Sara Corelli	Lei può descrivere quest'uomo?
Fina Pezzi	Ha circa trent'anni, i capelli neri ed è molto alto.
Pippo Caraffa	Quanto è alto?
Toni Ferrini	È alto quasi il doppio di te, Pippo!
Pippo Caraffa	È un uomo di tre metri e venti?
Fina Pezzi	Non ancora. Forse è alto un metro e novanta.
Sara Corelli	Signora Pezzi, vuole descriverci la dinamica dell'omicidio?
Fina Pezzi	L'uomo ha sparato due colpi ed è scappato su una Vespa!
Pippo Caraffa	In che direzione è scappato?

▸ note

dinamica • la successione dei fatti *Mi può raccontare la dinamica dell'incidente?*

Vespa

Toni Ferrini	È scappato verso la stazione di Villanea!
Fina Pezzi	No, ha messo l'arma in tasca ed è scappato verso il porto!

2. Sara Corelli sussurra una frase all'orecchio di Pippo Caraffa.

Pippo Caraffa	Oh, bravissima commissaria, è vero! Come premio ecco il mio regalo per Lei!
Sara Corelli	Che cosa mi regali questa volta, Pippo?
Pippo Caraffa	Un leone, commissaria.
Sara Corelli	Sei stato allo zoo, Pippo?
Pippo Caraffa	È una medaglia con il segno del leone...
Sara Corelli	... per le persone nate in agosto come me...
Pippo Caraffa	... e anche per le persone nate il 30 luglio, come me, commissaria!

Chi non ha detto la verità, Fina Pezzi o Toni Ferrini?

Vuoi un aiuto per trovare la soluzione?

a. Rispondi alle seguenti domande

1. Chi hanno visto Toni Ferrini e Fina Pezzi? c	a. Un revolver.
2. Che arma ha visto Toni Ferrini? a	b. In tasca.
3. Dove ha messo l'arma l'assassino? b	c. L'assassino.
4. Che arma ha visto Fina Pezzi? e	d. Con una Vespa.
5. Con che cosa è scappato l'assassino? d	e. Un mitra.

b. C'è qualcosa di strano: che arma si è messo in tasca l'assassino?

un mitra

c. È possibile mettersi in tasca un mitra *?* No *!*

d. Allora ha ragione il signor Ferrini *quando dice che ha visto l'uomo con il* revolver *in mano.*

fai gli ESERCIZI
vai a pagina 54

note 

medaglia

7. La cantina

Personaggi
Sara Corelli & Pippo Caraffa
Gina Loreto - soprano lirico
Donata Parenti - mezzosoprano lirico

traccia 7

1. Sara e Pippo ascoltano il racconto di Gina Loreto e di Donata Parenti.

Gina Loreto	Due delinquenti sono entrati nella mia stanza, commissaria!
Sara Corelli	Volevano un autografo da lei?
Gina Loreto	No, mi hanno fatto bere un sonnifero!
Sara Corelli	E Lei si è addormentata subito?
Gina Loreto	Sì, e poi mi hanno portato in cantina!
Sara Corelli	Le hanno rubato qualcosa?
Gina Loreto	Le mie cose più belle e preziose!
Sara Corelli	Che cosa esattamente?
Gina Loreto	Il mio unico orologio, un bracciale d'oro, una collana...
Pippo Caraffa	La cantina è isolata?
Gina Loreto	Sì, è senza porte e senza finestre.

▸ note

autografo • firma di una persona famosa *Lo sai? Ho l'autografo di Brad Pitt!*

sonnifero • droga per dormire *Ieri sera non riuscivo a dormire e così ho preso un sonnifero.*

cantina • stanza sotto terra, magazzino sotterraneo *Vado a prendere il vino in cantina.*

bracciale

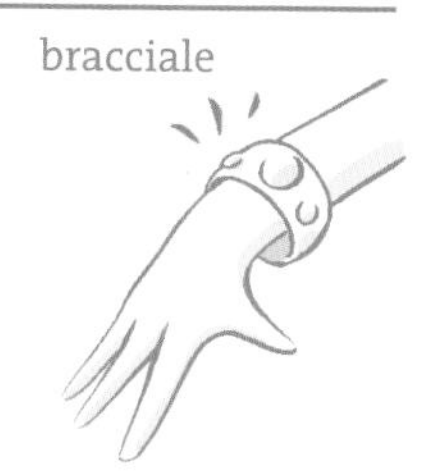

Pippo Caraffa	Anche a Lei, signora Parenti, hanno dato un sonnifero?
Donata Parenti	No, io avevo un appuntamento con Gina.
Pippo Caraffa	Dove, in cantina?
Donata Parenti	No, nel suo appartamento.
Pippo Caraffa	E Lei è stata puntuale?
Donata Parenti	Sì! Sono arrivata alle dieci e Gina mi ha chiamato.
Pippo Caraffa	Dove ha trovato la signora Loreto?
Donata Parenti	Nella cantina del vino, legata e con gli occhi e le orecchie bendati.
Pippo Caraffa	Signora Loreto, Lei a che ora si è svegliata?
Gina Loreto	Alle nove e mezzo ho sentito un rumore...
Pippo Caraffa	... e poco dopo è arrivata la Sua amica.
Gina Loreto	Sì, abbiamo avuto molta paura!
Sara Corelli	Gentili signore, c'è un dettaglio che non funziona in questo racconto.
Pippo Caraffa	Alla Centrale vogliamo ancora sentire la vostra bella voce!

2. Sara Corelli sussurra una frase all'orecchio di Pippo Caraffa.

Pippo Caraffa	Oh, bravissima commissaria, è vero! Come premio ecco il mio regalo per Lei: una bottiglia di Brunello di Montalcino, forse il vino più caro d'Italia!
Sara Corelli	Un Brunello? Eccellente, Pippo, grazie mille!

Qual è il dettaglio che non funziona?

note ◂

puntuale • chi arriva ad un appuntamento all'orario giusto
Giorgio, perché non sei mai puntuale? Ti devo aspettare sempre!

bendati

Vuoi un aiuto per trovare la soluzione?

a. Seguendo il testo, rimetti nel giusto ordine gli eventi.

1. Alle dieci è arrivata Donata Parenti.
2. I ladri hanno portato Gina Loreto in cantina con gli occhi e le orecchie bendati.
3. I ladri hanno rubato l'orologio, un bracciale e la collana.
4. Gina Loreto ha sentito un rumore alle nove e mezzo.
5. I ladri hanno dato un sonnifero a Gina Loreto.

b. C'è qualcosa di strano: i ladri hanno rubato l'unico orologio di Gina Loreto e lei sa che ora è. Si può guardare che ora è senza l'orologio e con gli occhi bendati?

____

fai gli ESERCIZI
vai a pagina 55

8. La commedia

Personaggi
Sara Corelli & Pippo Caraffa
Ugo Calende - commerciante di mobili
Sonia Rosi - partner di Ugo Calende

traccia 8

1. Sara e Pippo sono nella casa del commerciante di mobili Ugo Calende.

Ugo Calende Commissaria, ho ricevuto un colpo in testa!
Pippo Caraffa Vedo che la bottiglia si è rotta e la tua testa no!
Sara Corelli Che cosa è successo?
Ugo Calende Alle undici ho messo un po' di soldi nella cassaforte...
Sara Corelli Quanti soldi?
Ugo Calende Pochi, io non sono ricco.
Sara Corelli Questi soldi sono stati poi rubati?
Ugo Calende Sì, improvvisamente è mancata la corrente elettrica e non ho visto più niente.
Sara Corelli Lei ha notato la presenza di qualcuno nella stanza?
Ugo Calende No, perché mi sono svegliato all'ospedale!
Pippo Caraffa Chi abita con te in questa casa?
Ugo Calende Sonia Rosi, ma in quel momento era a teatro.

---
note

ha notato (inf. notare) • vedere, osservare *Ho chiamato la polizia perché ho notato qualcosa di strano nella casa di fronte.*

Sara Corelli Signora Rosi, che spettacolo ha visto Lei a teatro?
Sonia Rosi "*Sei personaggi in cerca d'autore*" di Luigi Pirandello.
Sara Corelli A che ora è tornata a casa?
Sonia Rosi A mezzanotte e un quarto.
Pippo Caraffa Hai trovato la luce accesa?
Sonia Rosi No, era spenta e ho suonato il campanello quattro volte.
Sara Corelli Il signor Calende ha aperto la porta?
Sonia Rosi No, l'ho aperta io e sono entrata nella sua camera.
Pippo Caraffa Sei entrata nella camera dov'è la cassaforte?
Sonia Rosi Sì, ho acceso un fiammifero e ho trovato Ugo per terra!
Pippo Caraffa E naturalmente la cassaforte era vuota!
Sara Corelli Signori, in questa storia un dettaglio non va!
Pippo Caraffa Alla Centrale ci racconterete la continuazione!

2. Sara Corelli sussurra una frase all'orecchio di Pippo Caraffa.

Pippo Caraffa Oh, bravissima commissaria, è vero! Come premio ecco il mio regalo per Lei: due biglietti per vedere la commedia di Luigi Pirandello... con me!
Sara Corelli Eccellente idea, Pippo, grazie mille!

Qual è il dettaglio che non va?

▸ note

Luigi Pirandello • famoso scrittore italiano di teatro (1867-1936), premio Nobel per la letteratura nel 1934.

campanello

fiammifero

Vuoi un aiuto per trovare la soluzione?

a. Seguendo il testo, rimetti nel giusto ordine gli eventi.

1. Ugo Calende dice che improvvisamente è mancata la corrente elettrica.
2. Sonia Rosi ha acceso un fiammifero e ha trovato Ugo per terra.
3. Sonia Rosi dice che ha suonato il campanello quattro volte.
4. Ugo Calende non ha visto più niente.
5. Sonia Rosi ha aperto la porta.

b. C'è qualcosa di strano: si può suonare quattro volte il ____________ senza la ____________?

fai gli ESERCIZI
vai a pagina 56

9. Il coltello

Personaggi
Sara Corelli & Pippo Caraffa
Bruno Spiato - padrone della villa "La Camelia"
Tania Salli - compagna di Bruno Spiato

traccia 9

1. Bruno Spiato chiama con il cellulare la commissaria Corelli e Pippo Caraffa dalla sua villa "La Camelia" di Villanea. Cinque minuti dopo la commissaria e Pippo arrivano alla villa.

Bruno Spiato	Commissaria, hanno ucciso il mio amico Daniele Ratti con un lungo coltello!
Sara Corelli	Lei sa chi è stato?
Bruno Spiato	Sì, l'assassino si chiama Vanni Candela!
Sara Corelli	Dove era Lei quando Candela ha ucciso il signor Ratti?
Bruno Spiato	Nella mia piscina.
Pippo Caraffa	Allora eri in acqua a nuotare!
Bruno Spiato	Sì, poi ho sentito un grido molto forte e sono uscito dall'acqua!
Sara Corelli	E cosa ha visto?
Bruno Spiato	Ho visto Vanni che scappava con un coltello sporco di sangue!
Sara Corelli	Lei, dopo l'omicidio, si è allontano dal cadavere?

▸ note

piscina

grido • urlo, suono con la voce per chiamare aiuto
Ho sentito un grido, cosa sarà successo?

Bruno Spiato No, per niente!
Pippo Caraffa Che cosa hai fatto in questo tempo?
Bruno Spiato Ho preso subito il cellulare e vi ho chiamato.
Tania Salli Commissaria, Vanni è molto pericoloso!
Bruno Spiato Lo dovete prendere subito!
Sara Corelli Signora Salli, anche Lei conosce l'assassino?
Tania Salli Sì, l'ho visto con il coltello in mano!
Pippo Caraffa Lei ha visto Candela mentre colpiva il signor Ratti?
Tania Salli Eh... sì, Candela ha colpito Ratti con tre coltellate.
Bruno Spiato Pippo, perché guardi il mio costume da bagno con tanto interesse?
Pippo Caraffa Perché vorrei imparare a nuotare come te!
Tania Salli Oh, povero Pippo, ti posso dare io una lezione di nuoto!
Pippo Caraffa Volentieri, signora, ma alla Centrale non c'è la piscina...
Tania Salli Alla Centrale? Voi portate Vanni già alla Centrale?
Pippo Caraffa No, signora, alla Centrale portiamo Lei e il signor Spiato!

2. Pippo Caraffa sussurra una frase all'orecchio di Sara Corelli.

Sara Corelli Oh, bravissimo Pippo, è vero! Come premio ecco il mio regalo per te: un salvagente per imparare a nuotare... e un costume da bagno, elegante e asciutto, come quello di Bruno Spiato!
Pippo Caraffa Lei mi vuole mandare in piscina con questo freddo? Eccellente, commissaria, grazie mille!

---
note ◂

costume da bagno

salvagente

asciutto • non bagnato *Stanotte non ha piovuto, il prato è asciutto.*

Che cosa ha scoperto Pippo Caraffa?

Vuoi un aiuto per trovare la soluzione?

a. Collega le domande alle risposte.

1. Che cosa dice Bruno Spiato a Pippo?
2. Che regalo riceve Pippo da Sara?
3. Com'è il costume da bagno?
4. Chi portava il costume da bagno asciutto?
5. Che cosa vuole dare Tania Salli a Pippo?

a. Elegante e asciutto.
b. Bruno Spiato.
c. Che era in acqua.
d. Un costume da bagno.
e. Una lezione di nuoto.

b. Quando si esce dall'acqua il costume da bagno è ________ *mentre il costume da bagno di Bruno Spiato è* ________.

fai gli ESERCIZI
vai a pagina 57

10. La fabbrica brucia

Personaggi
Sara Corelli & Pippo Caraffa
Giuseppe Talli - padrone della fabbrica di scarpe "TALLI"
Antonio Biffi - socio della fabbrica di scarpe "TALLI"
Vito Russo - guardiano della fabbrica

traccia 10

1. Il signor Talli e il signor Biffi sono andati alla Centrale di polizia perché qualcuno ha bruciato la loro fabbrica di scarpe.

Sara Corelli	Signor Talli, chi può essere stato questo delinquente?
Giuseppe Talli	La mafia mi ha avvertito con una telefonata, commissaria!
Pippo Caraffa	Che cosa ha detto la mafia in questa telefonata?
Giuseppe Talli	"Nella cassetta delle lettere c'è posta per te!"
Sara Corelli	E poi?
Giuseppe Talli	Io ho aperto un pacchetto e dentro ho trovato un'audiocassetta.
Pippo Caraffa	L'hai ascoltata?

note ◂

socio • collega in affari *Io e il mio socio abbiamo un'azienda con 20 impiegati.*

guardiano • persona che controlla *All'entrata del garage c'è un guardiano.*

ha bruciato (inf. bruciare) • distruggere con il fuoco *Mario aveva freddo, così ha bruciato un po' di legna e ha accesso un fuoco.*

cassetta delle lettere

audiocassetta

Giuseppe Talli Sì, una voce dice: “Non hai ancora pagato i centomila euro! È tardi!”

Sara Corelli E Lei cosa ha fatto?

Giuseppe Talli Ho spento subito il registratore e sono venuto qua da Lei, alla Centrale.

Pippo Caraffa Hai pagato i centomila euro?

Giuseppe Talli Non ho pagato niente, per questo la mafia ha bruciato la mia fabbrica!

Sara Corelli Signor Biffi, lei è socio della fabbrica “TALLI”, vero?

Antonio Biffi Sì.

Sara Corelli Lei conosce bene il signor Talli?

Antonio Biffi Sì, ma se vuole sapere di più, deve parlare con il guardiano.

Sara Corelli E dove lo troviamo?

Antonio Biffi Ecco che arriva!

Vito Russo Buongiorno signori! Oggi è il giorno più brutto della mia vita.

Sara Corelli Capisco, Lei è il guardiano della fabbrica, vero?

Vito Russo Sì, sono il guardiano, e ho dei sospetti.

Sara Corelli Quali sospetti?

Vito Russo Per me è stata la mafia! Ma non ho informazioni precise.

Sara Corelli Signor Talli, possiamo ascoltare la cassetta?

Giuseppe Talli Subito, commissaria! Eccola qui.

2. Pippo Caraffa preme il tasto play e sente: “Non hai ancora pagato i centomila euro! È tardi!”

Sara Corelli Ma questa sembra la voce del signor Biffi!

Pippo Caraffa No, commissaria, non è questo lo sbaglio, è un altro!

Sara Corelli E qual è lo sbaglio, Pippo?

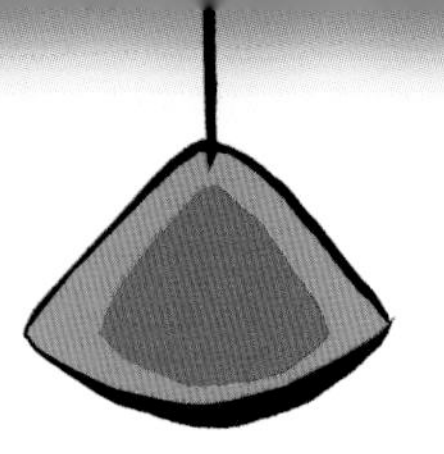

3. Pippo Caraffa sussurra una frase all'orecchio di Sara Corelli.

Sara Corelli	Oh, bravissimo Pippo! Come premio ecco il mio regalo per te.
Pippo Caraffa	Che cosa mi regala questa volta, commissaria?
Sara Corelli	Una bella Ferrari... di plastica per la tua collezione!
Pippo Caraffa	Una Ferrari tutta per me? Eccellente, commissaria, grazie mille!

Qual è lo sbaglio che ha scoperto Pippo Caraffa?

Vuoi un aiuto per trovare la soluzione?

a. Seguendo il testo, rimetti nel giusto ordine gli eventi.

1. Talli ha ascoltato l'audio-cassetta.	6. La voce ha detto: "Non hai ancora pagato i centomila euro! È tardi!".
2. Talli ha spento il registratore.	7. Talli ha ricevuto una telefonata dalla mafia.
3. Talli ha parlato con Sara e Pippo.	8. Talli ha trovato un'audio-cassetta nella posta.
4. Talli è andato dalla polizia.	9. La voce ha detto: "Nella cassetta delle lettere c'è posta per te!"
5. Pippo ha spinto *play* sul registratore.	10. La voce ha detto: "Non hai ancora pagato i centomila euro! È tardi!".

b. Ci sono due eventi uguali. È una cosa strana. Perché?

fai gli ESERCIZI
vai a pagina 58

11. I cellulari rubati

Personaggi
Sara Corelli & Pippo Caraffa
Luigi Esposito - un ladro
Ivano Morello - un ladro

traccia 11

1. Sara Corelli e Pippo Caraffa sono in missione a Milano per interrogare Luigi Esposito e Ivano Morello.

Sara Corelli	Per fortuna a Milano ha nevicato solo di notte, Pippo!
Pippo Caraffa	Milano è più bella con la neve, commissaria.
Sara Corelli	Ma è difficile andare in macchina, qui!

2. Poco dopo, i due poliziotti incontrano Luigi Esposito e Ivano Morello.

Pippo Caraffa	Da dove venite?
Luigi Esposito	Da Acerra.
Pippo Caraffa	Dov'è Acerra?
Luigi Esposito	Non sapete dov'è Acerra?
Pippo Caraffa	Non sono mai stato bravo in geografia!
Luigi Esposito	Acerra si trova vicino Napoli, no?
Sara Corelli	Come siete arrivati a Milano?

note

ha nevicato (inf. nevicare) • lo scendere della neve *A Natale qui in montagna nevica sempre: è bellissimo!*

Luigi Esposito	Io sono arrivato con il treno delle ore dodici.
Sara Corelli	Signor Esposito, posso vedere il Suo biglietto del treno, per favore?
Luigi Esposito	Sì, eccolo!
Pippo Caraffa	E tu, Ivano, come sei arrivato a Milano?
Ivano Morello	Io sono arrivato a mezzogiorno, con la mia Fiat. Ho parcheggiato la macchina e poi siamo andati a bere un cappuccino al bar.
Pippo Caraffa	Avete viaggiato da Napoli a Milano solo per un cappuccino?
Luigi Esposito	Anche a Milano il cappuccino è buono!
Sara Corelli	E cosa avete fatto al negozio "Digital?"
Luigi Esposito	Io ho comprato due CD.
Pippo Caraffa	Perché, a Napoli i CD non esistono?
Sara Corelli	Noi lo sappiamo perché siete venuti a Milano.
Pippo Caraffa	Alle ore undici siete entrati nel negozio "Digital" e avete rubato un pacco di cellulari!
Sara Corelli	Quando il padrone vi ha scoperto, uno di voi l'ha colpito ed è scappato!
Ivano Morello	Non è vero, noi due siamo innocenti!
Luigi Esposito	Se non credete a noi, controllate la Fiat di Ivano Morello parcheggiata qui fuori, così vedrete che dentro non c'è nessun cellulare!

3. Sara Corelli controlla la macchina coperta di neve. Tutto è ok, dentro c'è solo un giornale. Pippo Caraffa sussurra una frase all'orecchio di Sara Corelli.

▸ note

innocenti • chi non ha colpe, il contrario di colpevoli *Questi due uomini sono innocenti, non sono loro gli assassini.*

Sara Corelli	Oh, bravissimo Pippo, è vero! Come premio ecco il mio regalo per te: un cellulare per telefonare anche quando sei fuori dall'ufficio.
Pippo Caraffa	Un cellulare? Eccellente idea, commissaria, grazie mille! Anche noi poliziotti dobbiamo modernizzarci!

Cosa ha scoperto Pippo Caraffa?

Vuoi un aiuto per trovare la soluzione?

a. Seguendo il testo, rimetti nel giusto ordine gli eventi.

1. Morello dice che è arrivato a Milano la mattina a mezzogiorno con la macchina.
2. La notte a Milano ha nevicato.
3. Sara Corelli controlla la macchina di Morello: è coperta di neve.
4. Poi i due hanno bevuto un cappuccino al bar.
5. Morello ha parcheggiato la macchina in strada.

b. C'è qualcosa di strano: a Milano ha nevicato solo di notte. Morello dice che è arrivato a mezzogiorno, ma la ________________ è coperta di ________________ .

fai gli ESERCIZI
vai a pagina 59

12. Un cane troppo fedele

Personaggi
Sara Corelli & Pippo Caraffa
Anita Ruffini - una signora
Tino Saffi - un amico di Anita Ruffini
Carmine Rossi - un amico di Anita Ruffini
Fido - il cane di Anita Ruffini

1. Sara Corelli e Pippo Caraffa interrogano tre persone.

traccia 12

Anita Ruffini	Fido, perché non hai abbaiato?
Sara Corelli	Signora, Lei aspetta una risposta dal Suo cane?
Anita Ruffini	Il ladro è entrato e lui non ha fatto niente!
Sara Corelli	Cosa poteva fare?
Anita Ruffini	Almeno doveva abbaiare!
Sara Corelli	Il Suo cane abbaia solo quando vede la polizia?
Tino Saffi	Forse Fido non ama la polizia... come me!
Sara Corelli	Signora, Lei ha visto il ladro?
Anita Ruffini	L'ho visto mentre scappava con i miei soldi!
Pippo Caraffa	Che vestito portava?
Tino Saffi	Portava un paio di blu jeans vecchi e sporchi. Come i tuoi jeans, Pippo!
Sara Corelli	Chi poteva essere?
Anita Ruffini	Non so, ma ha un tic alla mano sinistra!
Pippo Caraffa	Lei lo ha guardato bene?
Anita Ruffini	Non proprio... ma sicuramente era brutto!
Pippo Caraffa	Ha un tic... ed è brutto, forse si chiama Carmine Rossi!
Carmine Rossi	Non è possibile!
Pippo Caraffa	Perché non è possibile?

▸ note

hai abbaiato (inf. abbaiare) • il verso del cane *Non ho potuto dormire perché il cane del vicino ha abbaiato tutta la notte!*

Carmine Rossi Perché io sono un amico di famiglia!
Anita Ruffini E poi un altro ladro aspettava sulla strada.
Pippo Caraffa Allora erano in due!
Sara Corelli Lei può descrivere il secondo ladro?
Anita Ruffini Ha la testa piccola e le orecchie lunghe.
Pippo Caraffa Può dirci ancora un altro particolare?
Anita Ruffini Ha il naso lungo quasi come Pinocchio!
Pippo Caraffa Allora assomiglia a Tino Saffi!
Tino Saffi Ma non posso essere io questa persona!
Pippo Caraffa Perché non puoi essere tu?
Tino Saffi Perché quando il ladro è scappato, io stavo lontano, al bar "Roma"!
Sara Corelli Signor Rossi, Lei viene spesso in questa casa?
Carmine Rossi Qualche volta vengo con Tino a trovare Anita.
Pippo Caraffa E siete venuti anche oggi?
Carmine Rossi Certo, perché Anita ci ha chiamato.

Sara Corelli Altre persone frequentano la sua casa, signora?
Anita Ruffini No, ho solo questi due amici!

2. Sara Corelli sussurra una frase all'orecchio di Pippo Caraffa.

Pippo Caraffa Oh, bravissima commissaria, è vero! Come premio ecco il mio regalo per Lei: un paio di scarpe da ginnastica... così sembrerà meno alta accanto a me!
Sara Corelli Eccellente, Pippo, grazie mille! Ma tu non sei... basso!

Chi ha rubato i soldi?

Vuoi un aiuto per trovare la soluzione?
a. Collega le domande alle risposte.

1. Quando si capisce che Tino ha visto il ladro?
2. Cosa dice Tino ancora alla polizia?
3. Come si capisce che Tino si contraddice?
4. Quando abbaia un cane?
5. Perché il cane non ha abbaiato?

a. Se Tino stava al bar, non poteva vedere il ladro!
b. Perché conosceva i ladri Tino e Carmine.
c. Quando dice che il ladro "portava un paio di blu jeans vecchi e sporchi".
d. "Quando il ladro è scappato, io stavo al bar!"
e. Quando vede persone che non conosce.

b. Il cane non ha abbaiato perché ________________ i ladri, gli unici che frequentano la ________________ di Anita Ruffini. I loro nomi sono ________________ e ________________.

fai gli ESERCIZI
vai a pagina 60

▸ note

frequentare • visitare regolarmente qualcuno o qualcosa
Ultimamente frequento molto Roberto e Claudia.

scarpe da ginnastica:

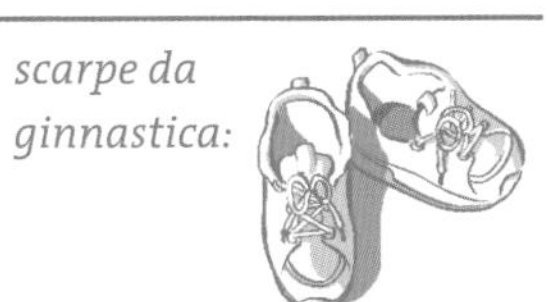

13. Il gioielliere

Personaggi
Sara Corelli & Pippo Caraffa
Samuele Riotti - un vicino di casa
Bice Maltese - una vicina di casa

traccia 13

1. Sul pavimento, a cinque metri di distanza dal letto, c'è il corpo di Elio Franzoni, un sordomuto di circa trenta anni. Il padrone dell'appartamento si chiama Renato Rossi ed è in vacanza.

Pippo Caraffa	È il corpo del signor Franzoni. È stato scoperto stamattina alle ore 9. I medici dicono che è stato ucciso alle 8.30.
Sara Corelli	Secondo Lei, signor Riotti, perché è stato ucciso?
Samuele Riotti	Per soldi.
Sara Corelli	Era molto ricco?
Samuele Riotti	Era un gioielliere.
Pippo Caraffa	Non era di Villanea.
Samuele Riotti	Neanche tu sei di Villanea, Pippo.
Bice Maltese	E non hai ancora imparato il nostro bel dialetto!
Pippo Caraffa	Dove abitate voi due?
Samuele Riotti	Nella casa qui di fronte.
Pippo Caraffa	Avete qualche sospetto?

note

sordomuto • una persona che non può sentire e non può parlare *I sordomuti comunicano con le mani.*
gioielliere • persona che vende gioielli, oro e cose preziose *Ho comprato un anello da un gioielliere vicino casa.*
dialetto • lingua regionale. In Italia ci sono molti dialetti, che cambiano da città a città *Non parlare in dialetto, non ti capisco!*

Bice Maltese	Io ho sentito Elio che gridava "aiuto! aiuto!"
Sara Corelli	E cosa ha fatto?
Bice Maltese	Ho telefonato a Renato Rossi, il padrone dell'appartamento!
Sara Corelli	Cosa Le ha risposto il signor Rossi?
Bice Maltese	Che Franzoni abitava lì da tre settimane.
Samuele Riotti	Poi abbiamo telefonato a voi alla Centrale!
Sara Corelli	Mi dispiace, ma non avete detto la verità e lo spiegherete alla Centrale!

2. Sara Corelli sussurra una frase all'orecchio di Pippo Caraffa.

Pippo Caraffa	Oh, bravissima commissaria, è vero! Come premio ecco il mio regalo: una bella collana per una donna elegante come Lei.
Sara Corelli	Una collana per me? Eccellente idea, Pippo, grazie mille!

Chi dei due ha mentito?

Vuoi un aiuto per trovare la soluzione?

a. Completa le seguenti frasi:

1. Un sordo
   ☐ *non vede* ☐ *non sente* ☐ *non parla*

2. Un muto
   ☐ *non vede* ☐ *non sente* ☐ *non parla*

3. Un sordomuto
   ☐ *non vede e non sente* ☐ *non sente e non parla* ☐ *non parla e non vede*

b. Chi ha gridato "aiuto aiuto" secondo Bice Maltese?

____

c. La soluzione è che il signor Franzoni è un ____________________
e dunque non può gridare __________________*!*

fai gli ESERCIZI
vai a pagina 61

14. La cioccolata svizzera

Personaggi
Sara Corelli & Pippo Caraffa
Osvaldo Grossi - un ladro
Donata Salieri - la complice di Osvaldo Grossi

traccia 14

1. C'è molto caldo a Villanea, la temperatura è di circa 30 gradi. La commissaria Sara Corelli e l'agente Pippo Caraffa sono stati chiamati dal direttore del supermercato "Tutto per voi" per bloccare due ladri.

Pippo Caraffa	Osvaldo, vai ancora a rubare nei supermercati?
Osvaldo Grossi	No, Pippo, io non rubo più!
Pippo Caraffa	Hai perso il vizio in così poco tempo?
Osvaldo Grossi	Purtroppo le mie mani non sono più così veloci!
Sara Corelli	Lei ci vuole fare capire che è già vecchio?
Osvaldo Grossi	Tutti diventeremo vecchi un giorno. Anche tu, Pippo!
Pippo Caraffa	Che cosa avete comprato oggi?
Donata Salieri	Il pane, il latte, della frutta e... l'insulina per me!
Osvaldo Grossi	Donata prende l'insulina perché ha il diabete.
Donata Salieri	Sì. Abbiamo pagato tutto con la carta di credito!
Pippo Caraffa	Ora facciamo un breve controllo.

▸ note

bloccare • fermare qualcuno *Il poliziotto ha bloccato i due ladri.*
insulina • medicina per malati di diabete *Anna ha il diabete e deve prendere l'insulina ogni giorno.*
diabete • malattia che non permette di eliminare gli zuccheri dal sangue *Ho il diabete e non posso mangiare dolci.*

Sara Corelli	Può svuotare la Sua borsa sul tavolo, signora?
Donata Salieri	Ecco: il pane, il latte... le mele.
Sara Corelli	E Lei, signor Grossi, vuole svuotare la Sua borsa?
Osvaldo Grossi	Ecco: l'insalata e il formaggio... è tutto!
Pippo Caraffa	Nella tua borsa è rimasto ancora qualcosa!
Osvaldo Grossi	Ah, la cioccolata svizzera per Donata!
Pippo Caraffa	Hai pagato anche questa cioccolata, Osvaldo?
Osvaldo Grossi	Certo, ne vuoi un po', Pippo? Ti farà sembrare la vita più dolce!
Pippo Caraffa	Osvaldo, non hai perso ancora il vizio!
Osvaldo Grossi	Quale vizio, Pippo?
Pippo Caraffa	Quello di rubare nei supermercati!

2. Pippo Caraffa sussurra una frase all'orecchio di Sara Corelli.

Sara Corelli	Oh, bravissimo Pippo, è vero! Come premio ecco il mio regalo per te: un chilo di cioccolata svizzera!
Pippo Caraffa	Eccellente, commissaria, diventerò ancora più dolce... Grazie mille!

Cosa ha detto Pippo Caraffa a Sara Corelli?

note

svuotare • tirare fuori tutto *Le chiavi sono in fondo alla borsa, devo svuotarla.*
sembrare • apparire *Che brutto tempo! È così buio che sembra notte!*

Vuoi un aiuto per trovare la soluzione?

a. Collega le domande alle risposte.

1. Che malattia ha Donata Salieri?	a. No, perché non può mangiare cose dolci.
2. Che cosa ha comprato Donata contro la sua malattia?	b. Il diabete.
3. Che cosa ha comprato Osvaldo per Donata?	c. L'insulina.
4. Può una diabetica mangiare la cioccolata?	d. La cioccolata.
5. Con che cosa hanno pagato al supermercato?	e. Con la carta di credito.

b. Osvaldo dice che ha comprato la cioccolata per Donata, ma non è vero perché sa che lei ha il ________________!

fai gli ESERCIZI
vai a pagina 62

ESERCIZI 1. Il cassiere

1 • Sinonimi - Collega le parole che hanno lo stesso significato.

1. cifra	a. corpo di un morto
2. cadavere	b. triste
3. depresso	c. numero
4. sicuro	d. passato
5. scorso	e. certo

2 • Trova la parola non adatta.

A: 1. il caffè, **2.** il cappuccino, **3.** il regalo, **4.** l'espresso.

B: 1. ieri sera, **2.** stamattina, **3.** l'anno passato, **4.** poco.

3 • Completa il dialogo con il passato prossimo dei verbi.

Sara Corelli Chi di voi tre *(vedere)* ____________________ il signor Rapetti?

Carlo Daltoni Io l' *(vedere)* ____________________ ieri sera, quando *(noi – bere)* ____________________ il caffè al bar Roma.

Tina Venturi Io l' *(vedere)* ____________________ stamattina alle otto, quando *(noi – prendere)* ____________________ il cappuccino.

Virgilio Lelli Io l' *(vedere)* ____________________ martedì scorso.

Sara Corelli Signor Daltoni, di che cosa *(parlare)* ____________________ Lei con il signor Rapetti?

1 • Antonimi - Collega i contrari.

1. dopo	a. caldo
2. bella	b. vecchia
3. freddo	c. prima
4. giovane	d. brutta
5. vacanza	e. lavoro

2 • In questo dialogo c'è un errore. Trovalo.

Sara Corelli Buongiorno! Che cosa è successo alla signora Randi?

Lucio Dini La signora è morto e l'assassino è già in vacanza!

Pippo Caraffa Povera signora Randi, è ancora molto bella!

3 • Completa il dialogo con gli articoli determinativi.

Sara Corelli Signor Randi, Lei è _____ marito della signora... sa cosa è successo?

Biagio Randi Elena è uscita a mezzanotte per fare _____ bagno ed è morta!

Sara Corelli Signor Dini, Lei che è _____ portiere, ha conosciuto _____ signora Elena?

Lucio Dini Certo. _____ signora è andata in spiaggia a mezzanotte!

Sara Corelli _____ signora ha fatto _____ bagno nell'acqua fredda?

1 • Antonimi - Collega i contrari.

1. lungo	a. bene
2. male	b. vivo
3. ammalato	c. corto
4. morto	d. puntuale
5. in ritardo	e. sano

2 • Trova la parola non adatta.

A: 1. cadere, **2.** parlare, **3.** sentire, **4.** gridare.

B: 1. subito, **2.** forse, **3.** per molto tempo, **4.** ora.

3 • Completa il dialogo con le parole della lista.

idea	premio	volta	mattina	suoneria

Sara Corelli Oh, bravissimo Pippo, è vero. Come ___________ ecco il mio regalo per te!

Pippo Caraffa Che cosa mi regala questa ___________, commissaria?

Sara Corelli Una sveglia con una buona ___________!

Pippo Caraffa Perché mi regala una sveglia?

Sara Corelli Così la ___________ non arriverai più in ritardo.

Pippo Caraffa Eccellente ___________, commissaria! Grazie mille.

1 • Sinonimi - Collega le parole che hanno lo stesso significato.

1. temporale	a. sentire
2. tuono	b. canzone lirica
3. ascoltare	c. rumore del fulmine
4. aria	d. forte pioggia
5. conoscere	e. sapere

2 • Riscrivi il dialogo al formale, usando il "Lei".

Regula Stolli Tu conosci quest'aria?
Pippo Caraffa Forse è di Giuseppe Verdi...
Regula Stolli Bravo, sai veramente molto sulla musica!

Regula Stolli Lei conosce quest'aria
Pippo Caraffa Forse
Regula Stolli Bravo sa veramente molto sulla musica

3 • Completa il testo con i verbi della lista.

registrava	ha colpito	sai	possiamo	so	ha fulminato

Regula Stolli Cosa non sai, Pippo?
Pippo Caraffa Io non so come è morto il tenore Cipilli.
Regula Stolli Semplice! Mentre Cipilli registrava la sua voce, un fulmine ha colpito l'impianto elettrico del teatro...
Ugo Alagna ... e lo ha fulminato!
Sara Corelli Possiamo ascoltare la registrazione?
Ugo Alagna Subito, signori!

5. La bottiglia di whisky

1 • Ricostruisci una battuta di Giulio Bronte.
Rimetti nel giusto ordine le parole.

Mentre... versavo il whisky nel bicchiere lui mi ha puntato la pistola al petto	*Mentre* – la pistola – nel bicchiere, – il whisky – lui mi – ha puntato – versavo – al petto!

2 • Trova la parola non adatta.

A: 1. il tandem, **2.** la bicicletta, **3.** il bicchiere, **4.** la macchina.

B: 1. la mano, **2.** il petto, **3.** la testa, **4.** la bottiglia.

3 • Completa il testo con le preposizioni ***di*** e ***per***.

Sara Corelli	Oh, bravissimo Pippo, è vero! Come premio ecco il mio regalo __per__ te.
Pippo Caraffa	Che cosa mi regala questa volta?
Sara Corelli	Ma è chiaro, Pippo, una bella macchina!
Pippo Caraffa	Una macchina? __di__ che marca?
Sara Corelli	Un'Alfa Romeo... tutta __per__ te!
Pippo Caraffa	Tutta __per__ me? Ma è formidabile!
Sara Corelli	Sì, Pippo, un'Alfa Romeo... __di__ plastica __per__ la tua collezione!
Pippo Caraffa	Eccellente, commissaria! Grazie mille.

ESERCIZI 6. Il revolver

1 • Sinonimi - Collega le parole che hanno lo stesso significato.

1. subito
2. complimenti
3. molto
4. il doppio
5. verso

a. in direzione di
b. due volte
c. congratulazioni
d. presto
e. tanto

2 • Trova la parola non adatta.

A: 1. uccidere, **2.** assassino, **3.** padrone, **4.** omicidio.

B: 1. piano, **2.** arma, **3.** revolver, **4.** mitra.

3 • Inserisci le parole a destra nelle frasi a sinistra, come nell'esempio.

S. Corelli	Lei visto l'assassino?	*ha*
T. Ferrini	Io l'ho visto strada con il revolver in mano!	sulla
S. Corelli	E Lei, Pezzi?	signora
F. Pezzi	Io l'ho visto da vicino, un mitra!	con
S. Corelli	Lei descrivere quest'uomo?	può
F. Pezzi	Ha circa trenta anni, i capelli neri è molto alto.	ed
P. Caraffa	Quanto è?	alto
T. Ferrini	È alto quasi doppio di te, Pippo!	il
P. Caraffa	È un uomo tre metri e venti?	di
F. Pezzi	Non ancora. Forse alto un metro e novanta.	è

7. La cantina

1 • Antonimi - Collega i contrari.

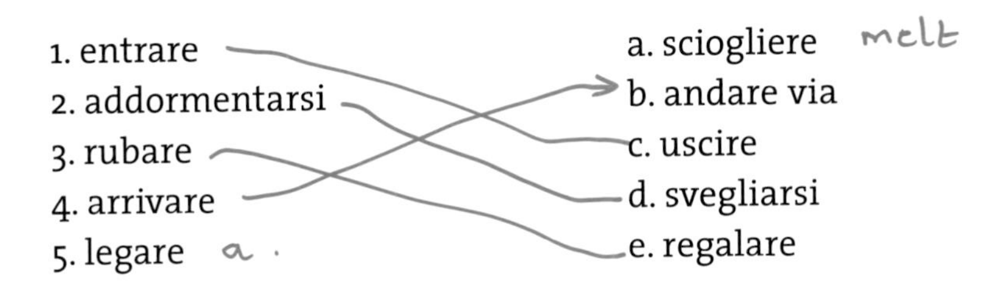

1. entrare	a. sciogliere
2. addormentarsi	b. andare via
3. rubare	c. uscire
4. arrivare	d. svegliarsi
5. legare	e. regalare

2 • Trova la parola non adatta.

A: 1. stanza, **2.** cantina, **3.** bracciale, **4.** appartamento.

B: 1. orologio, **2.** collana, **3.** appuntamento, **4.** puntuale.

3 • Completa il dialogo con le parole della lista.

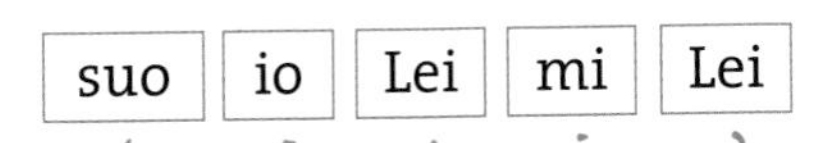

Pippo Caraffa Anche a ______, signora Parenti, hanno dato un sonnifero?
Donata Parenti No, ______ avevo un appuntamento con Gina.
Pippo Caraffa Dove, in cantina?
Donata Parenti No, nel ______ appartamento.
Pippo Caraffa E ______ è stata puntuale?
Donata Parenti Sì! Sono arrivata alle dieci e Gina ______ ha chiamato.

1 • Inserisci le parole al centro nel giusto spazio, come nell'esempio.

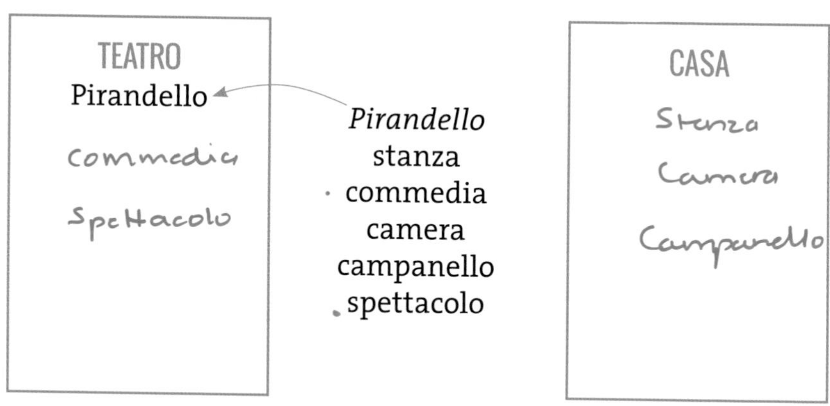

2 • Trova la parola non adatta.

a. soldi, **b.** ricco, **c.** fiammifero, **d.** rubare, **e.** cassaforte.

3 • Completa il testo con le preposizioni della lista.

a	con	all'	nella	in	di

Sara Corelli	Lei ha notato la presenza di qualcuno _____ stanza?
Ugo Calende	No, perché mi sono svegliato _____ ospedale!
Pippo Caraffa	Chi abita _____ te _____ questa casa?
Ugo Calende	Sonia Rosi, ma in quel momento era _____ teatro.
Sara Corelli	Signora Rosi, che rappresentazione ha visto Lei a teatro?
Sonia Rosi	"*Sei personaggi in cerca d'autore*" _____ Luigi Pirandello.

ESERCIZI 9. Il coltello

1 • In questo dialogo ci sono due preposizioni sbagliate. Trovale e correggile.

Tania Salli Eh... sì, Candela ha colpito Ratti con tre coltellate.
Bruno Spiato Pippo, perché guardi il mio costume da bagno di tanto interesse?
Pippo Caraffa Perché vorrei imparare da nuotare come te!

2 • Trova la parola non adatta.

A: 1. uccidere, **2.** mano, **3.** assassino, **4.** omicidio, **5.** cadavere.

B: 1. piscina, **2.** acqua, **3.** nuotare, **4.** coltello, **5.** costume.

3 • Completa il dialogo con i verbi della lista.

ho sentito	scappava	si è allontanato	ha visto	eri

Pippo Caraffa Allora ________ in acqua a nuotare!
Bruno Spiato Sì, poi ________ un grido molto forte e sono uscito dall'acqua!
Sara Corelli E cosa ________?
Bruno Spiato Ho visto Vanni che ________ con un coltello sporco di sangue!
Sara Corelli Lei, dopo l'omicidio, ________ dal cadavere?
Bruno Spiato No, per niente!

1 • Sinonimi - Collega le parole che hanno lo stesso significato.

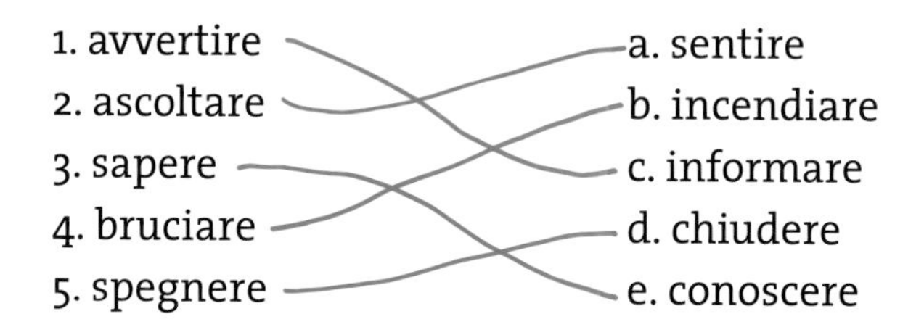

2 • Trova la parola non adatta.

A: 1. socio, **2.** audiocassetta, **3.** registratore, **4.** voce.

B: 1. polizia, **2.** vita, **3.** mafia, **4.** delinquente.

3 • Inserisci tre volte nel dialogo il pronome soggetto ***Lei***.
Attenzione: ci sono tre spazi in più!

Pippo Caraffa ____ hai pagato i centomila euro?
Giuseppe Talli Non ho pagato niente, per questo la mafia ____ ha bruciato la mia fabbrica!
Sara Corelli Signor Biffi, __Lei__ è socio della fabbrica "TALLI", vero?
Antonio Biffi Sì.
Sara Corelli __Lei__ conosce bene il signor Talli?
Antonio Biffi Sì, ma se vuole sapere di più, deve parlare con il guardiano. Ecco che ____ arriva!
Sara Corelli __Lei__ è il guardiano della fabbrica, vero?
Vito Russo Sì, sono il guardiano, e ho dei sospetti.

11. I cellulari rubati

1 • Completa il dialogo con gli ausiliari (***essere*** o ***avere***).

Pippo Caraffa	Alle ore undici *(voi)* ________ entrati nel negozio "Digital" e ________ rubato un pacco di cellulari!
Sara Corelli	Quando il padrone vi ________ scoperto, uno di voi l'________ colpito ed ________ scappato!

2 • Trova la parola non adatta.

a. vicino, **b.** per fortuna, **c.** dove, **d.** qui, **e.** fuori.

3 • Completa il testo con le preposizioni della lista.

a	a	a	a	a	al	con	con	da	del	per	per

Sara Corelli	Come siete arrivati ____ Milano?
Luigi Esposito	Io sono arrivato ____ il treno delle ore dodici.
Sara Corelli	Signor Esposito, posso vedere il Suo biglietto ____ treno, ____ favore?
Luigi Esposito	Sì, eccolo!
Pippo Caraffa	E tu, Ivano, come sei arrivato ____ Milano?
Ivano Morello	Io sono arrivato ____ mezzogiorno, ____ la mia Fiat. Ho parcheggiato la macchina e poi siamo andati ____ bere un cappuccino ____ bar.
Pippo Caraffa	Avete viaggiato ___ Napoli ____ Milano solo ____ un cappuccino?

12. Un cane troppo fedele

1 • Antonimi - Collega i contrari.

1. sporco	a. corto
2. sinistra	b. nuovo, giovane
3. vecchio	c. lontano
4. piccolo	d. destra
5. lungo	e. basso
6. vicino	f. pulito
7. alto	g. grande

2 • Trova la parola non adatta.

a. mano, **b.** ladro, **c.** orecchio, **d.** naso, **e.** testa.

3 • Completa il dialogo con l'imperfetto dei verbi.

Sara Corelli	Signora, Lei ha visto il ladro?
Anita Ruffini	L'ho visto mentre *(scappare)* ____________ con i miei soldi!
Pippo Caraffa	Che vestito *(portare)* ____________?
Tino Saffi	*(Portare)* ____________ un paio di blu jeans vecchi e sporchi.
Sara Corelli	Chi *(potere)* ____________ essere?
Anita Ruffini	Non lo so.

13. Il gioielliere

1 • Antonimi - Collega i contrari.

1. essere in vacanza	a. domandare
2. imparare	b. gridare
3. rispondere	c. lavorare
4. sussurrare	d. mentire
5. dire la verità	e. insegnare

2 • Trova la parola non adatta.

a. sospetto, **b.** appartamento, **c.** abitare, **d.** casa, **e.** padrone.

3 • Completa il dialogo con i verbi coniugati al tempo giusto.

Pippo Caraffa Avete qualche sospetto?
Bice Maltese Io *(sentire)* ________________ Elio che gridava "aiuto! aiuto!"
Sara Corelli E cosa ha fatto?
Bice Maltese *(Telefonare)* ________________ a Renato Rossi, il padrone dell'appartamento!
Sara Corelli Cosa Le ha risposto il signor Rossi?
Bice Maltese Che Franzoni *(abitare)* ________________ lì da tre settimane.
Samuele Riotti Poi *(noi – telefonare)* ________________ a voi alla Centrale!
Sara Corelli Mi dispiace, ma non *(voi – dire)* ________________ la verità e lo *(spiegare)* ________________ alla Centrale!

14. La cioccolata svizzera

1 • Antonimi - Collega i contrari.

1. purtroppo	a. giovane
2. veloce	b. amaro
3. vecchio	c. per fortuna
4. breve	d. lento
5. dolce	e. lungo

2 • Trova le due parole non adatte.

a. pane, **b.** vizio, **c.** latte, **d.** tavolo, **e.** frutta, **f.** insalata, **g.** formaggio, **h.** cioccolata.

3 • Completa il dialogo con le parole della lista.

ancora	così	già	più	più	purtroppo

Pippo Caraffa	Osvaldo, vai ____________ a rubare nei supermercati?
Osvaldo Grossi	No, Pippo, io non rubo ____________!
Pippo Caraffa	Hai perso il vizio in ____________ poco tempo?
Osvaldo Grossi	____________ le mie mani non sono ____________ così veloci!
Sara Corelli	Lei ci vuole fare capire che è ____________ vecchio?
Osvaldo Grossi	Tutti diventeremo vecchi un giorno.

SOLUZIONI ESERCIZI

1• Il cassiere

Esercizi per la soluzione del caso: LELLI, il nome dell'assassino.

Soluzione del caso: il numero 17737, letto capovolto (= con la testa giù) sul video del computer, forma il nome dell'assassino: "LELLI", che il cassiere Nino Rapetti conosceva bene.

Soluzione degli esercizi: 1. 1c, 2a, 3b, 4e, 5d. 2. A3, B4. 3. ha visto, ho visto, abbiamo bevuto, ho visto, abbiamo preso, ho visto, ha parlato.

2• La signora Elena

Esercizi per la soluzione del caso: a. 1b, 2a, 3d, 4c, 5e. b. La crema solare si usa quando c'è il sole e a mezzanotte non c'è il sole.

Soluzione del caso: per fare il bagno sulla spiaggia a mezzanotte non è necessario portare con sé la crema solare *Armani* per abbronzarsi. A mezzanotte non c'è il sole sulla spiaggia. Dunque la versione del marito e del portiere non è convincente.

Soluzione degli esercizi: 1. 1c, 2d, 3a, 4b, 5e. 2. Elena è uscita per fare il bagno ed è **morto morta**!. 3. il, il, il, la, La, La, il.

3• Il volo dalla terrazza

Esercizi per la soluzione del caso: a. 1c, 2e, 3a, 4b, 5d. b. giornale, messo.

Soluzione del caso: Giuseppe Piani ha letto il giornale al quarto piano e poi lo ha messo sulla sedia. Poi è caduto dalla terrazza. Dopo questo "volo" (dal quarto piano) lo stesso giornale si trova sotto il suo corpo. Non è possibile, perché il giornale non si poteva spostare da solo. La scena del suicidio è stata "preparata".

Soluzione degli esercizi: 1. 1c, 2a, 3e, 4b, 5d. **2.** A1, B2. 3. premio, volta, suoneria, mattina, idea.

4• Il Rigoletto

Esercizi per la soluzione del caso: a. 3 - 2 - 4 - 1. b. Il fulmine.

Soluzione del caso: Regula Stolli e Ugo Alagna dicono che il tenore Cipilli è stato ucciso da un fulmine che ha colpito l'impianto elettrico del teatro. Nel registratore è inciso anche il rumore del tuono, che arriva un po' dopo il fulmine. Non è vero che il fulmine ha ucciso Cipilli, perché fino al tuono, il registratore e l'impianto elettrico funzionavano ancora.

Soluzione degli esercizi: 1. 1d, 2c, 3a, 4b, 5e. 2. **Lei conosce** quest'aria? - Forse è di Giuseppe Verdi... - Bravo, **sa** veramente molto sulla musica! 3. sai, so, registrava, ha colpito, ha fulminato, Possiamo.

5• La bottiglia di whisky

Esercizi per la soluzione del caso: a. 1a, 2a, 3a, 4b, 5a, 6a. b. La bottiglia era chiusa, ma Guido Bronte dice che stava versando il whisky nel bicchiere. Guido ha mentito.

Soluzione del caso: Guido Bronte dice che mentre stava versando il whisky nel bicchiere, ha rotto la bottiglia in testa a Filippo Fiore perché gli ha puntato la pistola. Però il tappo è ancora dentro il collo della bottiglia rotta. Non è possibile versare il whisky da una bottiglia chiusa (col tappo ancora dentro). Guido ha mentito.

Soluzione degli esercizi: 1. *Mentre* versavo il whisky nel bicchiere, lui mi ha puntato la pistola al petto! 2. A3, B4. 3. per, Di, per, per, di, per.

6• Il revolver

Esercizi per la soluzione del caso: a. 1c, 2a, 3b, 4e, 5d. b. Un mitra. **c.** un mitra, No. d. Toni Ferrini, revolver.

Soluzione del caso: Fina Pezzi dice che l'uomo aveva un mitra. Poi dice: l'uomo ha messo l'arma in tasca ed è scappato verso il porto di Villanea. Il mitra non si può mettere in tasca, un revolver sì. Ha ragione Toni Ferrini.

Soluzione degli esercizi: **1.** 1d, 2c, 3e, 4b, 5a. 2. A3, B1. 3. <u>sulla</u> strada, <u>signora</u> Pezzi, <u>con</u> un mitra, <u>può</u> descrivere, <u>ed</u> è, Quanto è <u>alto</u>, <u>il</u> doppio, <u>di</u> tre metri, <u>è</u> alto.

7• La cantina

Esercizi per la soluzione del caso: a. 5 - 2 - 3 - 4 - 1. b. No, non è possibile.

Soluzione del caso: Gina Loreto si è svegliata nella cantina buia, legata e con gli occhi e le orecchie bendati. Non aveva l'orologio perché i ladri glielo avevano rubato. Nella cantina non poteva sentire nessun rumore e al buio non poteva sapere a che ora si era svegliata.

Soluzione degli esercizi: 1. 1c, 2d, 3e, 4b, 5a. 2. A3, B2. 3. Lei, io, suo, Lei, mi.

8• La commedia

Esercizi per la soluzione del caso: a. 1 - 4 - 3 - 5 - 2. b. il campanello, la corrente.

Soluzione del caso: Sonia Rosi dice che ha suonato il campanello della casa quattro volte. Poi ha acceso il fiammifero e ha visto Ugo Calende per terra. Non era possibile suonare il campanello, perché in quel momento mancava la corrente elettrica.

Soluzione degli esercizi: 1. TEATRO: commedia, spettacolo; CASA: stanza, camera, campanello. 2. c. 3. nella, all', con, in, a, di.

9• Il coltello

Esercizi per la soluzione del caso: a. 1c, 2d, 3a, 4b, 5e. b. bagnato, asciutto.

Soluzione del caso: Bruno Spiato dice che era in acqua a nuotare e che poi ha sentito un grido molto forte. Pippo però scopre che il costume da bagno di Spiato è ancora asciutto, perché non è stato in acqua e la storia che ha raccontato non è vera.

Soluzione degli esercizi: 1. Pippo, perché guardi il mio costume da bagno **di con** tanto interesse?; Perché vorrei imparare **da a** nuotare come te!
2. A2, B4. 3. eri, ho sentito, ha visto, scappava, si è allontanato.

10• La fabbrica brucia

Esercizi per la soluzione del caso: a. 7, 9, 8, 1, 6/10, 2, 4, 3, 5, 10/6. b. Vedi la *Soluzione del caso* qui sotto.

Soluzione del caso: Talli dice che ha spento subito il registratore quando ha finito di sentire la frase "*Non hai ancora pagato i centomila euro! È tardi!*" e poi è andato dalla polizia. Quando Pippo riaccende il registratore, sente lo stesso testo dall'inizio. Non è possibile. Talli non ha detto la verità.

Soluzione degli esercizi: 1. 1c, 2a, 3e, 4b, 5d. 2. A1, B2. 3. – , – , Lei, Lei, – , Lei.

11• I cellulari rubati

Esercizi per la soluzione del caso: a. 2 - 1 - 5 - 4 - 3. b. macchina, neve.

Soluzione del caso: a Milano ha nevicato solo di notte. Esposito e Morello dicono che sono arrivati alle ore dodici. La macchina di Morello, che è parcheggiata fuori, è coperta di neve. Dunque la macchina era stata parcheggiata fuori durante la notte. I due non sono arrivati a Milano a mezzogiorno, come dicono, ma molto prima.

Soluzione degli esercizi: 1. siete, avete, ha, ha, è. 2. b. 3. a, con, del, per, a, a, con, a, al, da, a, per.

12• Un cane troppo fedele

Esercizi per la soluzione del caso: a. 1c, 2d, 3a, 4e, 5b. b. conosce/conosceva, casa, Tino Saffi, Carmine Rossi.

Soluzione del caso: Tino Saffi ha visto il ladro, perché dice che "portava un paio di blu jeans vecchi e sporchi". Però dice anche che quando il ladro è scappato, lui era lontano, al bar "Roma". È una contraddizione. Inoltre il cane non ha abbaiato perché conosce bene gli unici che frequentano la casa di Anita Ruffini: Tino Saffi e Carmine Rossi. Sono loro i ladri.

Soluzione degli esercizi: 1. 1f, 2d, 3b, 4g, 5a, 6c, 7e. 2. b. 3. scappava, portava, Portava, poteva.

13• Il gioielliere

Esercizi per la soluzione del caso: a. 1. non sente, 2. non parla, 3. non sente e non parla. b. Elio Franzoni. c. sordomuto, "aiuto aiuto".

Soluzione del caso: Elio Franzoni era un sordomuto. Non poteva gridare "aiuto! aiuto!" come ha detto Bice Maltese. Bice Maltese ha mentito.

Soluzione degli esercizi: 1. 1c, 2e, 3a, 4b, 5d. 2. a. 3. ho sentito, Ho telefonato, abitava, abbiamo telefonato, avete detto, spiegherete.

14• La cioccolata svizzera

Esercizi per la soluzione del caso: a. 1b, 2c, 3d, 4a, 5e. b. diabete.

Soluzione del caso: Donata Salieri dice che ha comprato l'insulina per sé. Osvaldo Grossi dice che Donata ha il diabete, e poi che ha comprato la cioccolata svizzera per Donata. Ha mentito, perché una diabetica non può mangiare cioccolata.

Soluzione degli esercizi: 1. 1c, 2d, 3a, 4e, 5b. 2. b, d. 3. ancora, più, così, Purtroppo, più, già.